Dieses Buch gehört:

GWYNETH

a girl who loves to

camp

♡ Ant CC + Bersh

Bibliografische Information der Deutschen Bibliothek
Die Deutsche Bibliothek verzeichnet diese Publikation in der Deutschen Nationalbibliografie;
detaillierte bibliografische Daten sind im Internet über http://dnb.ddb.de abrufbar.

© der deutschsprachigen Ausgabe
2005 Patmos Verlag GmbH & Co. KG
Sauerländer Verlag, Düsseldorf
Aus dem Englischen von Gerlinde Wiencirz
Alle Rechte vorbehalten
ISBN 3-7941-5059-7
Printed in China
www.patmos.de

Mausi geht zelten

Lucy Cousins

Aus dem Englischen von Gerlinde Wiencirz

Sauerländer

An einem wunderschönen Sommertag packt Mausi ihren Rucksack. Sie will zelten gehen.

So ist es gut, Olaf!
Prima, Susi!
Jetzt feste ziehen!

und probieren es wieder und wieder...
bis das **Z**elt endlich steht.

Was für ein großes **Z**elt!
Groß genug für alle.

Nach dem Abendessen sitzen alle am Lagerfeuer und singen Lieder. Dann ist es Zeit, schlafen zu gehen.

Als Erster geht Max mit
seiner Taschenlampe.
Ein hübscher Schlafanzug, Max!

Einer
im Zelt!

Als Nächster kommt Kuno ins Zelt.
Achte auf die Pflöcke, Kuno!

Zwei im Zelt!

Jetzt ist Susi dran.
Träum was Schönes, Susi!

Drei im Zelt!

Macht Platz für Mausi... rückt ein bisschen zusammen!

Vier im Zelt!

Ist noch
ein Eckchen
frei?
Komm nur,
Olaf!

Ojemine!
Fünf im ...
(Was ist das
für ein Knarren?)

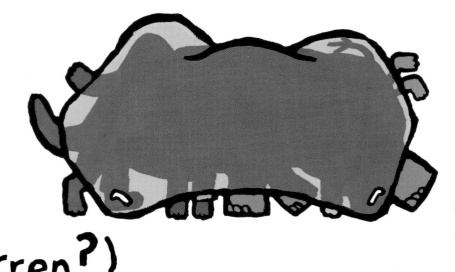

Fünf im ...
(Was ist
das für ein
Quietschen?)

Fünf im ...
(Was quietscht und knarrt da so ...)

Plopp!
Max fliegt heraus.
Plopp!
Susi fliegt heraus.

Plopp!
Kuno
fliegt
heraus.
Plopp!
Mausi
fliegt
heraus.

Jetzt schlaft alle gut!
Einer im Zelt ...
und vier unterm
Sternenzelt ...

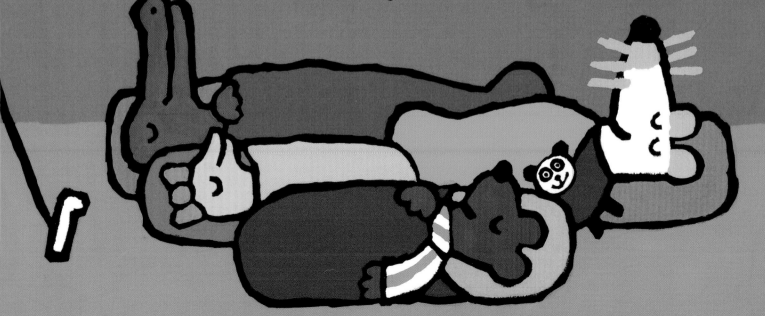

...und einer im Baum.

Uhuuu!